Tha Jaa Banes

A *memento mori* in Dunnottar Kirkyard, Aberdeenshire

Tha Jaa Banes

An Ulster-Scots Collection

Stephen Dornan

PUBLISHED BY THE ULSTER-SCOTS ACADEMY PRESS

FOR THE ULSTER-SCOTS LANGUAGE SOCIETY

This book has been published with assistance from the
Ulster-Scots Academy

ISBN 978-1-9163758-1-9

ULSTER-SCOTS ACADEMY PRESS

Finn MacCool's jaw bone, in ...

The Satyre of the Three Estaitis

Heir, is ane relict lang, and braid;
Of Fyn Macouil the <u>richt chaft blaid</u>,   (true jaw bone)
With teith, and al togidder.

Sir David Lyndsay, 1552

CONTENTS

PART I

The Poems of Ronnie Steenson

Tha Gellick 5

McBane's Skull 8

Tha Jaa Banes 13

Belfast, Efter Good Friday 26

Tha Twalfth Day 30

New Year Odes 37

Ode tae 2014 38

Ode tae 2016 40

CONTENTS

PART II

The Poems of Ronnie Steenson Continued

Tha Bovedy Meteorite 46

Sonnets on MacCassey 48

    I.   Yer Man MacCassey 49

    II.   Tha Wean MacCassey 50

    III.   MacCassey in Belfast 51

    IV.   MacCassey's Whigmaleeries 52

    V.   MacCassey Surveys 53

    VI.   MacCassey's Hereafter 54

Translations, fae Nagorno-Karabahk 55

    I.   Yarns an Tales 56

    II.   Tha Paice Again 57

    III.   Tae be Yersel 58

    IV.   Ding Doon tha Mairch Dykes 59

PART I

The Poems of Ronnie Steenson

The author of these poems, Ronnie Steenson, lived alone for many years in a small town in the Lower Ards and was a friend and neighbour of mine. I say he was a friend of mine, and indeed he was, although he was of an age with my grandfather. Indeed he had been close friends with my grandfather and both served for several years together in the famous Inniskilling Fusiliers in the 1950s. Having this connection in mind, I began about 10 years ago to call at his house and keep him company for an hour or two over a whiskey or beer. If I began to do this out of a sense of duty, it soon became something that I enjoyed.

We shared an interest in the history of our country and our people and he was often pleased to tell me some story about the lives and struggles of our forefathers. His living room was a long one with the seats near the front window and the fire. Down the back of the room he had a kind of museum of items that he had picked up from here and there. He had ancient arrowheads, Viking coins and musket balls from the plantation period and a rusted pikehead from 1798. He also had a remarkable Lambeg drum from the early part of the twentieth century and used artillery shells from the Somme and Ypres. Along with this treasure trove was a collection of books of local interest, some of which I believe were very scarce. One of his great loves was poetry, particularly if it was written in the Scots dialect. I was never more than a novice in the field I did study for several years in Scotland and was struck with the familiarity of Burns's language on the odd occasion I heard him read. The author of these poems had an extraordinary knowledge of Burns's work and would explain sections of the poems to me, often without looking at a book or glossary. He got me interested in Burns's language, and the kindred tongue which we often heard around us. He also introduced me to those poets from our own land who followed in the Scottish bard's footsteps. What he never told me, however, was that he himself was numbered amongst that group.

This was only revealed on the occasion of the wake of this gentleman who sadly died in his home a few years ago. He had no family in the area and it came as a surprise to me to find that he had any at all. I had assumed that he had been a bachelor all his life, but it turned out that he had actually married as a young man although this had been a brief and apparently unhappy union. His estranged wife had apparently left and moved to the south of England with a young daughter. Although the wife had died some years before, the daughter was still alive. She arrived unannounced at Ronnie's house on the evening before his funeral. Many of his old cronies had naturally gathered there to wake their old friend, but his daughter seemed aghast to see us sitting around old Ronnie, drinking our whiskey and having a yarn. It was maybe a shock for her to see the corpse, the drink, the faces in the firelight and the sheets over the mirrors as this isn't the way these occasions are conducted in other places; but she left for her hotel in Belfast after a short conversation with old Jim Magowan, who let her know that that was the way things were conducted here.

The evening settled into the usual routine with Ronnie's old friends telling stories of his exploits and adventures. At one stage in the evening I went down to look at the items and books in Ronnie's personal museum at the back of the room. I lifted and leafed through a few of the antique looking books on the shelves and a few of the artefacts that were placed around the room. Something about the Lambeg drum struck me as odd and I shifted it from its usual position against the wall. On doing so I was surprised to find the skin of the instrument loose at the back, and on further inspection I found to my curiosity that inside the drum was a large bundle of neatly hand-written pages. I took them out and glanced at random pages. They seemed to be pieces of writing, mostly poems and mostly in Scots. Older yellowing pages lay at the bottom, some of which were dated from the 1950s. The sheets at the top of the pile were more recent and I happened to lift and read the pieces included here. I was impressed with the richness of the language, although I would not claim that I understood every word on the first reading. I began to realise that this was a secret corpus of work that my friend had been working on apparently for decades. I took the top few sheets with the intention of showing them to the company, but I found them in no mood for poetry so I folded the pieces in my pocket and returned to the wake.

The funeral was a typically dignified and sombre affair that concluded with Ronnie's remains being interred in the old grave-yard outside the village. Ronnie's daughter turned up briefly with her husband but spoke to no one. After the burial a group of us retired to Magowan's farm, for a bite to eat and a bit of company.

PART I

After dinner some more friends from the village arrived with a bottle or two of whiskey and we decided to make an evening of it for Ronnie's sake. But imagine my surprise when one of the lads just come up from the village told me that Ronnie's daughter had been piling her father's possessions into a removal lorry all afternoon and had just completed the task as they were coming up the hill. I could not believe it, but it turned out to be right enough and when I went to the house the next day, all I could do was peer through the windows at the empty rooms; my friend's treasures were gone along with his life's work.

The following pieces, poems with short prose accompaniments, are those I salvaged on the night of Ronnie's wake: they are unchanged except for some alterations of spelling for consistency's sake.

Tha Gellick

Gellicks are tha maist Ulster-Scotch craturs.

They're at hame sprattlin in clart or maggin in glaur. They're at hame amang yer stoor an pruck.

Lang syne gellicks bided amang folk: inaboot their hooses an fairms, their clachans an toons. Whan folk got owre tae sleep a gellick was aye near-haun tae scoot doon their lughole. Gin ye hae yin o thon wee craturs twitchin in yer heid an wigglin in yer red loanin it gars yer tongue mak different soonds. It gars ye talk in braid Ulster-Scotch.

Hooaniver, these days folk's taen tha notion that gellicks are coorse wee airticles. They hae redd up aa tha stoor an pruck fae their hooses an aa tha clart an glaur fae their clachans an toons. Tha gellicks cannae get close for tae scoot doon their lughole. Sae nae mony folk ava hae a braid Ulster-Scotch tongue in their heid.

Sae dinnae jook tha clart an glaur, an dinnae redd up aa yer stoor an pruck. Then maybe ye'll wauken yin mornin wi tha oul half-fameeliar Ulster-Scotch wurds on yer tongue an a hairmless wee gellick doon yer lughole.

Tha Gellick

A bide in neuks tha lee-lang day
An rear ma thrangs o weans away
Fae comfort, heat an licht o day
Sprattlin in clart,
Whaur ceevilisation houls nae sway,
Nor polished art.

Ye dinnae like tae think A'm here,
Aboot yer sonsy, fauncy gear
An gin ye see me sprattlin near
It's batterin broom,
Or stampin shoon, A doot an fear
Will seal ma doom.

A'll exercise ma muckle hooks
Amang yer claes an unread books,
An stick ma neb at nicht fae neuks
Crawlin an creepin;
Then, wi steady feet an furtive jooks,
A'll find ye sleepin!

Doon yer lug hole A'll come dashin,
Borin, burrowin, batterin, bashin
Hokin, wigglin, garravashin,
Intae yer heid

An lae ye sneezin, pechin, fashin,
Wi'oot remead.

Like an ammonite happed up in stane,
A'll curl richt up an bide ma lane
Atween yer gullet an yer brain
An hibernate;
Dormant A'll bide until yer pain
Micht dissipate.

Like an arraheid ablow tha glaur
Or a peat-choked body buried far
Ablow a bog, A've unco power,
Like artefact or relic;
An whan A twitch sic wurds A'll gar
Boke fae yer bake as "gellick!"

McBane's Skull

Tha oul Kirkyaird is a gye eldrich kin o place. Gin ye gae doon tae tha inn an clock yersel doon wi yin o tha oul hauns fae tha clachan, an buy a hauf-yin o whuskey, aiblins he'll tell ye a yarn or twa aboot tha oul place. Aiblins a yarn sic as this …

"Gin ye gie tha loanen a dander tae tha Kirkyaird at dailygaun an aipen tha oul rusty yett ye'll see forenent ye tha oul ruined kirk wi its stane waas aa dunnerin in. An gin ye gie tha kirkyaird a dander, amang tha oul throuither heidstanes an tombs, tae tha maist ootby neuk o tha place, an gin ye hae a hoke doon at tha maist ootby, oulest pairt o it ye'll fin tha oul stane dyke. An gin ye see thon oul dyke an redd awa tha oul moss an bushes ye'll see twa toom, glowerin een keekin oot amang tha oul stanes. An then ye'll hae foond what tha folk caa McBane's skull, wha has clocked inaboot thon oul dyke for langer nor onybody can mind.

Onyway, gin ye get doon on your hurdies amang tha oul heidstanes, an glower intae oul McBane's een for a wheen o minutes ye faa intae a kin o a dwam. An then a quare thing happens, for oul McBane wull stairt tae yarn tae ye (in bonnie braid Ulster-Scotch, o coorse). An folk hae heerd aa sorts o things fae him: yin says he gies ye wee yarns aboot yer ain folk fae lang syne; hooaniver, anither says he gulders fearfu abuse at ye; anither says he spaes yer future an tells ye tha day ye'll lie deid aneath him in tha coul yird in tha hint o thon stane dyke forenent tha eldrich kirk.

Wha kens? Aiblins ye'll hae tae gie it a dander yersel at dailygaun, gin ye daur hear tha crack o oul McBane's skull."

McBane's Skull

Ye lads an ye lassies tak heed
An bewaur whaur ye dander an stray;
Mind ye tha fate o Wee Jennie
Fae tha shielan on top tha brae.
Ye may gae tae tha kirk in tha mornin,
An bide there tha hail lee lang day
But whan dailygaun faas, an tha hoolet caas,
Ye'd be wise for tae keep weel away.

For at nicht, whan tha licht aa sooms doon,
Thonder's nae place for tae play
For bogles, an banshees, and deevils,
An grim ghaists, an coorse wraiths, aye houl sway.
They screich, an they keen, an they gulder
Amang tha oul doddery stanes
Mair nor weans hae scant fear o sic ferlies,
They're feared o tha skull o McBane.

For doon at tha hint o tha kirkyaird,
Biggit intae tha oul dry stane waa
Ye'll fin a carved skull o worn sandstane
Wi toom een an a grin on his jaas
An oul yins toul yarns tae tha weetchils
That gin ye gae doon there an clock
Sometimes, gin ye keek in his een,
Ye'll hear oul McBane stairt tae talk.

MCBANE'S SKULL

Wee Jennie, wha leeved in tha sheilan
On tha brae at tha edge o tha toon
Was a caleery an ram-stam wee clipper
Wha'd blether fae midnicht tae noon.
An aye she was boul an gye tovey
An she'd heerd o tha crack o McBane
An she says tae hersel "A'll gie it a birl"
An set aff tae tha kirkyaird her lane.

At gloamin she jooked fae tha wundae
Tha lampposts were glawin like gleed
She speeled tha dyke o tha kirkyaird
An hirpled through heidstanes an weeds.
An tha nicht it was dairk wi a skeenklin o frost
Sae tha gresses cranshed unner her shoon.
By tha licht o her phone, she foond tha oul skull
An amang tha oul stanes hunkered doon.

Then she shined her wee licht on tha skull,
On tha grinnin oul skull o McBane
She keeked in his een, an waited for ocht
Tae come oot o thon bake o coul stane.
But only tha hoolet cried oot that nicht
An scunnered wi sic glaikit games
She taen a photae, then tha glow o her screen
Like a lichthoose, guided her hame.

MCBANE'S SKULL

But happed in her bed efter midnicht,
In tha sheilan on top o tha brae
She keeked yince mair at her mobile phone
An saa somethin had gaed wile agley.
Tha sim caird was cleared an her doonloaded
Apps an icons were fairly redd oot
An says she tae hersel there's a glammery
Has been cast on tha gadget A doobt.

She jaloosed it was deid, sae she laid it doonby
But it dinged an its licht caught her een
An she saa that a wheen o byordinar icons
Were skailt owre tha phone's glawin screen:
Yin was an oor-gless cowped owre on its side,
Anither a winged, fair-faced wean,
An a grinnin white skull wi twa dairk hollae een,
An anither was twa crossed shank banes.

She footered an swiped, an turned tha thing aff,
But it soon dinged tae life yince again,
Sae she tapped on an icon, tha yin wi tha skull,
An on tha screen was tha skull o McBane.
Like a video caa fae tha mirk o tha kirkyaird,
She keeked at tha oul skull in shock;
While she stared an she ferlied its jaa gied a jerk,
It screiched then it stairted tae talk.

MCBANE'S SKULL

Wee Jennie's no kythed what was said that nicht
Though she bides yet on top o thon brae,
But sae sairly she's shook, that she's despertly failt,
An her dairk hair's turned pure cranreuch gray.
They say that she's cursed, an her tongue is aa scrunted
Sin then she's no spoken again
An she danders tha loanens, a poor mutton-dummy
Aa because o tha skull o McBane.

Tha Jaa Banes

A hae heard that folk in ither places dinnae believe in ghaists onymair, mair nor thon's no tha way o it hereaboots. Here, you cannae set foot ootside wi'oot bargin intae a ghaist, or a bogle, or a brownie, or a banshee, or a wraith, or a pelt.

Yin dailygaun, a lad fae tha clachan was reddin oot an oul sheuch that was aa culfed up. It was tha end o tha day whan his shoon skited on tha glaur an he fell doon on his erse. As he was sprattlin aboot tryin tae get up he saa somethin keekin oot o tha clabber o tha sheuch. He put his haun doon an it was haird, sae he hoked it oot.

Sae there he was, clocked in tha glaur, glowerin doon at tha thing: he jaloosed it was maybe a stane at tha furst. Hooaniver whan he'd gied it a dicht wi his snootcloot he says tae himsel: "thon's a bane, a jaa bane, an it's no fae a baist!"

Weel, he swuthered aboot what tae dae, but decided that it micht be tha body o some poor murdered cratur. He thoucht tae see gin there were ony ither banes inaboot tha sheuch. He got doon on his hunkers an felt aboot in tha dubs an afore lang he foond anither bane. Weel, he hoked it oot ana, but whan he looked tha blood drained fae his face for it was anither jaa bane. He kept hokin an anither, an anither, an anither forbye, came up - but naethin ava but jaa banes - some wi oul yella teeth still in their bakes. He knowed then there were ghaists ahint it.

Afore lang he'd gaithered up a hail puckle o banes an wunnered should he caa Tha Peelers. He decided no tae bother for ghaists were nane o their business. He taen them hame tae think aboot it for it didnae feel richt tae lay them lyin aboot in a sheuch. Sae he scooted hame an broucht a muckle kist back wi him, an he put aa tha jaa banes intae it. He taen it hame an put it unner his bed oot o tha road.

That nicht, aboot midnicht, a neebour heard a quare gulder fae tha cratur's hoose an gaed tae investigate. He foond him clocked on tha bed gurnin his een oot wi his hauns owre his lugs. Tha neebour taen him doonstairs whaur he calmed a wee an says he couldnae sleep wi aa tha coorse eldrich whusperin an clackin in thonder room: it went on aa nicht, says he, mair nor he couldnae unnerstaun a wurd o it. Tha neebour, feared o sic eldrich yarns, scooted aff hame.

Tha cratur wha'd foond tha banes got his heid shired an minded tha jaa banes. He jaloosed it maun be them clackin an yarnin awa tae yin anither. Sae he thoucht tae himsel that he maun redd them oot wi'oot ony delay. He took them, kist ana, oot intae tha Ballygellick Woods, oot thonder, an buried them deep in tha yird.

Naebody knows whase jaa banes they were, nor why they wudnae gie owre wi clackin an whusperin, deid banes though they were. But whan ye're gien tha woods a dander at dailygaun, gin ye houl yer wheest, an prick up yer lugs, ye can hear them yet, on tha wund, aye whusperin an clackin, oot there amang tha foondert trees.

Tha Jaa Banes

A hae gied thon loanen thrang wi whuns
A dander mony's a nicht,
Awa fae folk's keen keekin een,
Awa fae wundae lichts.
Doonby tha plantin, forenent tha moss,
Ahint its queelrod waa,
Nae tongues are clackin in yer lugs
Jest watter quails' eldrich caa.
Nyitterin bakes, an clipe-clash folk,
Are things A cannae thole,
An gin A hear yin come ma gate,
A jook doon some scoot-hole.
Why dae A garevitch sae late
An magg aboot ma lane?
Houl yer horses, an houl yer wheest,
An aiblins mind yer ain!

Gin ye gae doon thonder
Lang efter dailygaun
Ye see quare things, an hear coorse soonds
Afore tha screich o dawn.
Ye wudnae know gin ocht is real,
Or ferlies in yer heid
Or gin ye're in yer ain toonland
Or tha dairk airts o tha deid.
Tha sichts ye see stick wi ye

THA JAA BANES

Ye cannae wheek them oot,
Like whan oul Rabin-rin-tha-hedge
Gets inaboot yer cloots;
They echa as strang aboot yer skull
As tha cry o ony whaup
An they biz aboot atween yer lugs
Like bees inside a scap.

Tha dreich oul nicht was thick wi mizzle
Tha japs drapped fae tha trees:
A was drookit, coul an foondert, ma breeks
Were clarted tae ma knees.
A hirpled, doddery, owre tha stanes
A stauchered on tha roots,
Tha jeggies scrabbed an scored ma skin
Tha slaps were owre ma boots.
Doonby tha prittas fiel A stapped -
Tha sheugh was fou o watter
As dairk as Styx, it babbled by,
Wi monys a splesh an splatter.
Wi yin buck lepp A near won owre,
But tha thick glaur garred me skite:
A gaed cowp-carlie in tha clabber
Thon dairk an crabbit night.

On ma back, scunnered, A lay
Doon tha thunnerplump teemed
Tha lichtnin lit tha coaglin trees
An aye tha coul wund screamed.

THA JAA BANES

On ma back, scunnered, A lay
An glowered up tae tha sky
A yeuched an guldered at mysel
An tha hail driech wurld forbye.
Belyve, tha mune keeked fae a clood
A gust garred gresses fissle;
Atween ma een an tha lowin mune
A saa a swayin thrissle:
It put me in mind o tha Scotch folk
Wha lang syne flitted owre
Tae big their hames an clachans
On this bitter, crabbit shore.

Ulster an Scotland: sib an sindert,
At yinst forenent an throuither.
Aiblins tha yin in heirskip,
But Ulster's tha bastard brither!
Unner thon thrissle an lowin mune
A thoucht in thon teemin rain:
We're a mixtur-maxtur clatter o getts,
Tha weans o bastard weans.
Blaw-ins fae owre tha narra sea
Us crabbit planter folk?
Oor hairts sae thran, oor heids sae haird
We'd gar a cratur boke?
Weel, gie's oor mixtur-maxtur bluid
An kirkyairds fou o banes:
Though ganshes gurn an gomerals glunch
Tha crack's aye "houl yer ain!"

THA JAA BANES

Sic ferlies an whigmaleeries
Birled aboot ma brain
As tha mune, tha thrissle, tha glaur an me
Clocked in thon teemin rain.
On ma back, scunnered, A lay
Til A cudnae lie nae mair
An A poued ma shouders fae tha glaur
Wi a gulder an a rair.
As A soomed ma haun in tha saft, wat groond
A felt somethin haird as stane -
Somethin wis happed up by thon sheuch
In tha dingin Ulster rain.
It was a quare an unco shape for a stane
Sae fae oot tha glaur A hoked it;
A gied it a dicht on ma drookit breeks
An A wheeked it in ma pokit.

A hirpled hame, foondert wi coul,
For tae shire ma birlin heid.
A hunkered doon an stirred tha shunners
Tae see was ma wee fire deid;
A footered wi kinnlin, peched an blawed
An coaxed her tae a bleeze
A glugged a hauf-yin fae tha bottle
An drapped doon tae ma knees.
Sheddas jooked in tha ornge licht
Owre tha waas o stane
Like brownies an boggles caperin
Or deils fashin in Hellish pain.
Then A minded tha thing in ma pokit

An in tha gleekin licht A saa
That in ma haun A held tha bane
Fae some puir cratur's jaa!

Like a watergaw, or an oul airched brig
Owre wee, A jaloose, for Cain:
Ma fingers gaed tae ma haffets
An A felt tha cleek o ma ain
A traced it doon tae tha keystane chin
An roon tae tha ither lug.
A aipened ma bake tae feel thon cleek-
An gied tha whuskey anither glug.
A cratur's jaa bane's happed in their gooms:
Naebody sees their ain
But aiblins anither wull footer wi it
efter ye're deid an gane.
A gied tha bottle anither prie
An lay doon on tha floor,
A shut ma een by tha beekin bleeze
An afore lang A'd got owre.

At tha skriech o dawn A waukened up,
Ma eldrich dwams did fade,
An A've taen thon loanen yince again,
An A've taen ma graip an spade.
Through tha bloomin yella whun A gaed
A heerd tha watter quail's caa
Fae across tha plantin an tha moss
Ahint its queelrod waa:
Doonby tha prittas fiel A stapped

THA JAA BANES

A hoked til A foond again
Tha thrissle A'd lain ablow yestreen
Whan A foond tha cratur's bane.
A put ma spade tae tha thrissle's stem
An A stamped doon wi ma boot
Tha blade gaed doon in tha saft, wat muck
Sneddin tha leevin roots.

Was it a clipperin cuttie fae auncient times
Drooned unner a hoovin wecht?
Or some poor fairmer, wha didnae win hame
Fae tha red-coats in ninety-echt?
A lang deid body fae some bull-bait
Fae bitter, crabbit days,
Or some fly clipe fae oor ain troubled times
Disappeared by tha IRA?
Ma spade gaed doon, tha yird comed up,
Ma spade gaed doon again,
An wi ilka turn o tha boggy clabber,
Oot keeked anither bane.
A wrocht til ma loofs were blistered sair,
Sweat dreeped in ma een forbye
As A hoked oot bane efter clarty bane
An piled them up doonby.

A keeked doon yince at tha puckle o banes
A keeked again an A saa
That this was a ferlie, an eldrich yin,
For ilka bane was a jaa:

THA JAA BANES

Says A tae mysel, A jaloose some deil
Haes gien me this scunnersome luck
For what human haun cud hae gaithered this kist
Tae hoard in tha Ulster muck?
A swuthered a wee, then redd up tha banes
They filled up a prittas sack,
Then A hirpled back up thon whunny loanen
Tha banes clackin on ma back.
At hame again, A stashed tha banes
Innunner ma tousled bed,
Amang tha smoor an throuither things
As gellicks an pismires fled.

Ma neb was dreepin, A felt like bokin,
Ma haughs were sair wi stoons,
A happed mysel up, an shut ma een,
An heerd tha nicht's grim soonds:
Tha settlin greesaugh, a skittrin moose,
Tha hoolet's screich ootby,
Tha wundaes rattlin, a yett's bangin
Tha saft wund gied a sigh.
But somethin mair, a whusprin bizz,
Rummels saftly in ablow
It stairts oot quait, a bummin drone,
Then, och-na-nee, it grows -
Rannerin, nyitterin, clashin soonds
Like clatters o coorse folk crackin,
Yarnin, bletherin, slabbrin, colloguin,
Yappin, yowchin, clackin.

THA JAA BANES

Tha nyitterin rose an bizzed in ma skull
By japers an boys-a-dear,
Til A scrabbed at ma lugs an guldered oot,
An cud thole tha noise nae mair.
A scrabbed ma lugs an A guldered oot,
An A thoucht wi dawnin dread,
O thon prittas sack o deid jaa banes,
Innunner ma ain coul bed.
An A heerd coorse hauf-fameeliar wurds,
In tha yarnin banes' crack
Mair nor A maistly cudnae mak oot,
Their crabbit whusprin clack
Tha mair A listened A knowed A was richt,
Says A tae mysel, A doobt
Thon eldrich banes wull nyitter and yarn
Til A buck tha cursed things oot.

A wheeked tha banes fae unner tha bed,
Raisin a mizzle o stoor,
Then A tore through tha coul an quait hoose
An oot tha scullery door.
A magged through tha gairden, bucklin ma knees
Owre ilka rig an fur,
An A clodded tha sack owre tha oul mairch dyke
Intae tha Ulster smirr.
A gaed back tae tha hoose, clocked on ma arse,
An tried tae get mysel set;
But aye, in ma heid, tha whusprin banes,
Were nyitterin an clackin yet.
Mair nor tha jaa banes were oot tha hoose,

They wudnae wheest ava
Says A tae mysel, they'll gie me nae paice,
Til A've taen them further awa.

Oot A gaed an nabbed tha sack
O clackin, nyitterin banes,
An A gied thon loanen thrang wi whuns,
A dander yince again;
Awa fae clipes an keekin een,
Awa fae wundae lichts
A skelped on intae tha dairkness,
O tha foondrin, bitter nicht.
An in tha sack, that bit ma back,
Aye tha banes gaed clack,
An aye in ma heid, an in ma lugs,
Was their crabbit, whusprin crack.
Whan A got tae tha sheuch atween tha moss
An tha oul an hanted kirk
A hae taen thon sack in baith ma neives,
An toomed it intae tha mirk.

A jaloose they're still oot thonder noo,
Forenent tha oul heidstanes,
Washed doon deep in tha glaur o tha moss,
By tha teemin Ulster rains.
But here's a quare an unco thing
Mair nor it's gospel truth.
Aathin changed since A foond thon banes,
An held them in ma loof.
Iver sin syne, gin A meet wi neebours,

THA JAA BANES

At waddin, Tha Twalfth or wake,
A can hairdly unnerstaun a wurd,
Fae oot their yappin bakes
For their wurds are sae saft an sliddery
It's coof-tongued, pishy speak
A jaloose they've nae jaa banes ava,
For their chins flap doon tae their breeks.

But A hae mind o tha jaa banes' crack,
Whan A hear tha whuskin trees,
An tha fisslin queelrods an gresses,
Shook by a skitterin breeze.
An in tha screich o tha watter quail,
An in tha whaup's dour cry
An in tha soond o a squelchin sheuch,
Or a babblin burn forbye.
In tha thunnerplump plooterin on tha flowe,
Or dingin tha wundae pane
In tha kindlin bleezin, an greesauch settlin,
Or tha rasp o a spade on stane.
Their crack aye bides, aye it tholes,
Inaboot ma heid it birls,
Sae tha soond o tha jaa banes nyitterin
Fills tha hail wide warl.

Folk know tae put up cloots on mirrors
Whaniver they wake tha dead.
Weans aye know tae pick tha gowans,
But no tha pish-tha-beds.
Tha sailor knows a broch on tha mune

Means a storm's for blawin
An tha fairmer knows ye lae alane
Tha fairy thorn that's grawin.
Aabody knows tha banshee's screich
Means some poor cratur dees,
An aabody knows tha hame o sinners
Is tha deil's black brimstane bleeze:
An ganshes aye slabber, an coofs aye gurn,
An Ulstermen aye are boul,
An thraveless folk dinnae believe
Hauf tha lees they're toul.

Belfast, Efter Good Friday

'I would build that dome in air,
That sunny dome! those caves of ice!
And all who heard should see them there,
And all should cry, Beware! Beware!'
                                    (S. T. Coleridge)

Whaur tha gumlie river Lagan barely
Flows owre glaur; yin mornin early
A took tha notion, tae stop an ferlie
At Belfast toon
In aa its gaudy grandeur rarely
Flooerin roon.

Clocked on clabber, a tovey wheen
New biggins glower wi gomeril een
An a bleezin dome wi icy sheen
Chitterin bricht,
Shooders up abin them clean
In skeenklin licht.

Wi oxster strang a crane birls roon
Its load coagles in tha lift abin
Oor heids, then cleeks an noo tha toon's
A wee mair built;

Whiles, forenent, a drill dirls doon
Through saft, saft silt.

We maunna be fashed by sleekit history,
Tha past's a dour oul whigmaleerie;
But this panorama o prosperity
Maun wairm oor hairts,
An aye wull bide tae shaw posterity
Oor unco pairts.

Ilk lass an coof in fauncy gear
Weel turned oot they damn tha fear,
O man nor baist but onwards steer
Wi'oot regret;
Progressive weans, on siller reared,
Can ocht forget.

A doobt their likes would tak nae heed,
O a screed o blethers in a hauf-deid leid
An think it daft tae fash yer heid
Wi dictionary
Hokin, an rhymes a body cudnae read
They're sae contrary.

A'll no fecht, A'll thole their gurns:
For Thomson, Orr an Robert Burns
A'll scrieve tha Scotch that ghaistly yearns
For bygane times
An steer tha sleekit jooks an turns
O Habbie's rhymes.

BELFAST, EFTER GOOD FRIDAY

Oul, crabbit wurds that arenae blate,
Can getts begunk an glipes berate,
They faa in squathries an sair bull-bait,
Spoutin invective;
Or sleekit, slee insinuate
Their ain perspective.

A took tha gate, tae clear ma heid,
Awa fae tinsel trash an greed,
For fancy gear A hae nae need
Nor public art:
Wameless sculptures dinnae bleed
An hae nae heart.

A dandered aff through mony bleak
Streets, tae muckle waas, an keeked
Intae a graveyaird, ahint a cleeked
Gate, whaur doon-deep
Aa throuither, Belfast's faithers in oblique
Graves sleep.

Thon yird is thrang wi mony banes,
Ablow tha battered oul heidstanes
Daubed wi tha blethers o glaikit weans,
Wha stroan an drink,
Aboot tha graves o them that's gane,
But know nor think.

Wi wind in ma hair, an licht in ma een
A hoped oor scores were dichted clean,

BELFAST, EFTER GOOD FRIDAY

But A in unco dwam hae seen
Thon dome uplift
Tae ding richt doon in smithereens:
A hailstane skift.

Tha Twalfth Day

Tha boneys' shunners smouldered on
Their reek still scored tha air
An twitterin flute, like birdsang blythe,
Erupted here an there.
An Newtown toon, an Strangford Lough,
Skeenkled in tha licht,
An on Scrabba's scraggy brae and tower,
Tha simmer sun shone bricht,
That mornin.

A sonsy lass, wi bonnie een,
Poued lilies fae tha yird
An in a callar simmer breeze
Tha flags an buntin stirred
An fae tha fairms an loanens,
Tha closes, hooses, streets,
Tha folk jaunt oot, wi canty hairts
Freends and neebours for tae meet
On their Twalfth day.

Wi buggies, deck-chairs, kists o food
Hirplin oot they race:
"Hurry up, you thraveless getts,
We'll never get a space."
Doonby Tha Peelers glower aroon

Carnaptious in their sweat,
Bakes as lang's tha day an tha morra,
On ilka crabbit gett
That wairm day.

Canty weans, wi plestic flags
Weel scrubbed, an weel turned oot,
Ferlie at tha thrangs o folk
That line tha mairchers' route.
Oul folk, clocked noo tae tha fore,
Hae min o ither years,
An ither Twalfths, an ither folk,
They'll no see onymair
Til tha last day.

Then ilka lug o young an oul
For wind-bourne flute note strains
An fae tha crib wi cap'rin glee
Jook tha skittrin weans:
"A hear them Ma, A hear them noo,
They're just ayont tha brae!"
Tha thrangs o mairchers soon appear,
Their banners in array
Fou bonnie that day.

White-gloved marshals clear tha way
An senses aa combine
Throuither sounds an folk abound
Tha colours quare an fine;
Some mairchers aim for dignity

THA TWALFTH DAY

Baith in gait an mien,
Whilst ithers point an crack an smile
Wi ony kin or freend
They spy thon day.

A kiltie band noo passes by
Wi eldrich skirls an wails.
They blaw an squeeze wi aa their puff
Their chaps like benselled sails.
Their mixtur-maxtur patterned kilts
Wi colours aa throuither,
Like tae tha folk aroon these isles
Champed up wi yin anither
Tae this day.

Blood an thunner! Kick Tha Pope!
Noo here's a quare stramash!
A raucle flute band batterin by,
An beltin oot "Tha Sash"!
Tha loupin leader chucks his stick,
An birls it roond his wrist
An tha big drum's skin is clarted red
Fae tha drummer's bleedin fists,
As he bates that day.

We know thon soond that thunners roond
An sets tha warld tae quakin;
A feardy ba culfs up his lugs,
Ahint his Ma he's shakin.
Leanin back, Lambeg on wame,

Tha drummer houls his canes
An maks his auncient rhythm dirl
Intae oor hairts, oor guts, oor brains
Fou strang that day.

Tha flutes they trilled, an through us thrilled,
Tha drums they battered rowdy
An owre tha heids o aa tha folk,
Tha banners billowed gaudy:
They tell tha tale o aa oor fechts,
Oor folk, oor toon, oor cause,
An them wha tholed aye for oor land,
Oor Faith, oor God oor laws,
In bygane days.

Tha apprentice lads, o Derry toon,
Aye we're in their debt,
In sleekit James' rebel neb
They cleek tha Bishop's yett.
An William o immortal fame
Wha on Boyne's grassy banks
Gars traitors flee, an bears tha gree
Ulstermen in his ranks
Fou strang that day.

Noo Moses boul, houls owre his heid,
Tha covenant o stane
An Jesus preaches on tha Mount
For oor eternal gain.
An Abraham tha gully grips,

THA TWALFTH DAY

Wi nieve that niver shakes
An Daniel danders wi tha baists,
Sin God cleeked shut their bakes,
Fou ticht that day.

Whan aa tha bands hae dandered by,
There isnae time tae waste,
We tak a scoot doon tae tha fiel
Tha Diel may tak tha hinmaist!
"Welcome Brethren" says tha airch,
As aabody jooks unner,
An sic a throuither squathry o folk
Would mak a body wunner
At tha cut o them that day.

Doonby, a vauntie band are playin,
They were quare an fand o themsels;
But a banty fae a rival crew
Struts up forenent an yells:
"A cannae hear ye! Dummy-fluters!
Yer breeks scarce hide yer asses.
Ye cannae even mairch like men,
But clipper by like lasses,
Or jinnies this day."

Tha muckle drum tip heard tha row;
It sent him fair demented,
He swore he'd skelp tha slabberin gett,
An broke ranks like he meant it.
A wheen o lads fae ilka band

An ither folk forby,
Stapped tha bull-bate owre late,
For nieves an boots did fly
Fou sair that day.

Doonby, a wheen o lang-baked getts
Sit clocked on thonder stage,
A glunterpuddin, thran an wee,
Gulders in a rage.
A wheen o folk prick up their lugs
(O God an Sin he's rantin,)
While lads an lasses dinnae mind,
But scoot aff gallivantin
Roond tha fiel that day.

Some slock their drouth on juice or tay
Or stretch oot for a rest:
While mony troo a beer an hauf-yin
Is tha lad that suits them best.
An them wha mairched, in sombre ranks,
Like military battalions,
By efternoon are gulderin fou;
A crew o rakin hallions,
Gaein hame that day.

A troo life's short an time skelps on,
As dailygaun glowers ootby;
We dander hame, or hirple aff
An anither year's birled by.
A wudnae gurn for skaith o gear,

THA TWALFTH DAY

Not aa o London's wealth,
Sic whigmaleeries gar me scunner,
Jest gie tae me ma Twalfth
On this yin day.

We know there's them wha cannae thole,
Nor much less unnerstaun us,
Their crack just laes me scunnered man,
They'll even try tae ban us:
We know it's mair, a quare lot mair,
Nor minin oul stramashes,
So may oor wee land, an Newtown toon,
Hae drums, an flutes an sashes,
For monys a day.

New Year Odes

Hogmanay was aye a time whan folk thoucht aboot aa tha happenins an wittins o tha year. It's aye been a bit o a tradeetion for poets tae scrieve a wheen o lines at tha dailygaun o tha year yarnin o tha ferlies o tha oul year an giein their thouchts aboot tha new yin. Noo maistly it was tha grand folks' poets, sic as Laureates wha scrieved sic things. Hooaniver, Robert Burns himsel, wrote yin aboot tha year 1787 or 1788, A cannae mind which yin. Aiblins it's time tae bring back thon oul tradeetion.

Ode tae 2014

Wi reekin lums, an yarns, an fireside crack,
Wunter's lang dairk nichts come hirplin back;
Whan glaury sheuchs an burns turn white wi hoar
Folk think o tha ferlies o tha year afore:
Weel, we had a wheen, in tha year '14.

In Stormont tha ganshes clashed their clack
(Folk culfed their lugs an turned their back)
In Westmeenster they clocked aye on their arses
An folk were scunnered at aa their farces:
Noo UKIP bear tha gree: Japers! Och-na-nee!

Fae across tha sheuch we heerd an saa
Tha Scotchies gulderin for "Aye" an "Na".
An a glunterpuddin in breeks o tartan,
Near had tha crabbit Scots departin
Fae tha doddery oul UK, wha hirples on anither day.

In Iraq carnaptious ISIS hallions
Garravashed in thran battalions
An wheeked tha heids aff daicent folk.
It's enough tae gar a body boke-
A quare bull-bate in tha Caliphate!

Tha "West" swuthered yince, then yince again:
Sleekit Vladimir disputed wi Ukraine,
North Korea's high-heid-yin's daein fine,
A thunnerplump o bombs on Palestine,
While Africa maun thole a dose o Ebola.

As tha oul yirth birls an years skite, skelpin by
A wunner is tha dailygaun o tha oul tongue nigh?
Or is there a jinkin loanen or ootby nook
In '15 for Ulster Scots, an me, tae jook
An spake oor leid, an shire oor heids?

Ode tae 2016

Dailygaun faas, an tha oul year's deid,
An it's time for tae shire yer birlin heid
An hae mind o tha year that's gane:
Ach, by Japers! Och-na-nee!
We'll no see its likes again
For sic a bull-bait's no been seen
As tha coorse oul twunty an saxteen!

Tha Status Quo cowped on its heid:
Prince, Princess Leia an Bowie's deid!
Stoor tae stoor! Shunners tae shunners!
Ach by Japers! Och na nee!
Saxteen's done awa wi hunnerds!
Daith gaed "Wham!" yince again
An Leonard's Cohen - goin - gane.

Fae screich o dawn, tae mirky gloamin
It wis Brexit crack at dyke an loanen.
Folk droond in Farage's soomin wave
Ach by Japers! Och na nee!
(a quare begunk for glaikit Dave):
Noo tha thran an crabbit oul UK,
May hirple aff its ain wee way.

In toon an clachan folk hoked on
For carnaptious clowns or Pokemon,
While Rooskie bombs in skifters faa,
Ach by Japers! Och na nee!
On Aleppo lads - wives, weans ana!
An tha Yankies Trump us (he bigs waas bigly:
An abin his lugs it's brave an wigly.)

Smert-erses gied oor team nae chaunce
Agin tha Euro thrang in France:
(We didnae heed thon blethers)
Ach, by Japers! Och na nee!
We tholed dreich Lyon's mizzly weather;
Hailstanes teemed an thunner roared:
We gaed buck mad whan "Big G" scored!

Some yins slabber o "populism"
Some yins are feart o terrorism.
At hame we Foster a Brokenshire
Ach by Japers! Och na nee!
An tha hail green warld's a beekin fire,
For sic a bull-bait's no been seen
As tha coorse oul twunty an saxteen!

PART II

The Poems of Ronnie Steenson Continued

A "for sale" sign appeared on Ronnie's house, then an "under offer", then a "sold": a pleasant couple with two young children moved in. I would hear their cries and laughs and think with melancholy on the reverend gloom of Ronnie's home.

Life trundles on and Ronnie became memory, although I kept the small sheaf of his poems. I was occasionally nagged by curiosity about the fate of the rest of his work and did entertain the occasional fleeting notion of enquiring into its fate, but the tasks of everyday life impeded me and the passage of time blunted my inclination.

It was only revived a few years after Ronnie's death due to a conversation with a remarkable old lady from the village, who will remain nameless. This lady is well known in the area for having a knack at the uncanny. Although it is fashionable these days to disbelieve in these arts, I knew of several instances that demonstrated her reputation in this field was well deserved. She stopped me in the local shop one afternoon and suggested that I visit her soon which was summons enough for me. That very evening I was sitting in her front room, something about the atmosphere and odours reminding me acutely of those evenings spent in Ronnie's room. This lady always rejected the trappings of the unscrupulous practitioners of her art; no crystal balls or trumpery, and she generally dispensed with performance entirely. Having received her due payment she simply handed me a cup of tea and told a plain tale. She told me that she'd had one of, what she called, her "dwams"; one that recurred and that concerned my old friend and myself.

It opened with both of us sitting in Ronnie's old sitting room as it had been back when he was alive. His artefacts and books were as they had been and the fire was burning pleasantly in the hearth. All in all there was an atmosphere of serenity and peace. Then a noise started at the back of the room. This gradually increased in volume and settled into the unmistakable sound of a Lambeg drum being played with vigour. The instrument then rolled, apparently of its own accord, from its usual position to middle of the room vibrating all the while as the invisible player drummed. Whilst this was happening Ronnie became increasingly agitated. The dream concluded with Ronnie, repeating with animation, a very unusual name, whilst the drum rattled out its thunderous, ancient rhythm.

I am unable to reveal the name here, although I resolved to enquire further into this mysterious vision. Thus, I went straight home and put the name into an internet search. The bizarre name yielded a few hits and I clicked on the top one. I found myself looking at a web page on the site of a university of moderate reputation in the south of England. The web page contained the details of a Senior Lecturer in Economic and Fiscal Policy, and detailed copious, though obscure, publications in her field. It contained a small image of the lady in question, smiling reassuringly in front of a book case crammed with glossy-spined books. It was clearly the lady who had turned up that night at Ronnie's wake, although the photograph, it must be acknowledged, was not particularly recent. In short, this was Ronnie's estranged daughter. The page also displayed an e-mail address by which students and peers could contact this eminent person.

I considered this revelation for a few moments. Clearly her powers remained acute and the only conclusion that I could draw was that Ronnie was encouraging me to contact his daughter about the sheaf of writings that had been concealed in the Lambeg. I resolved immediately to contact Ronnie's daughter enquiring into the fate of those interesting manuscripts.

Consequently, I drafted an e-mail in which I stated who I was and recounted my relationship with Ronnie. I asked his daughter specifically about the manuscripts in the drum and explained to her why I considered these to be of considerable cultural and literary value. I checked regularly for a response, but when none was forthcoming within forty eight hours, I sent an identical message to the same address. When this in turn received no acknowledgement I re-sent the message after the lapse of another forty eight hours. It was this third message that elicited a response, though the content was not what I had hoped for. Her reply ran as follows:

Let me assure you in the strongest possible terms that I have no interest in any contact from my estranged father's former friends. Let me also assure you that the "collection of artefacts" that you refer to was no more than a jumble of miscellaneous junk. I had this stuff sent to a well-known auctioneer in Dublin whose paltry valuation of the whole reflects the value in which I hold the items. As to my father's "literary legacy", I can assure you that nothing approaching poetry was found amongst Mr Steenson's possessions. The auctioneer sent me images of a few scraps of a large quantity of writing which he said were in some kind of indecipherable code or argot of Mr Steenson's invention. He recommended that these were of no value, so I had no hesitation in directing him to dispose of these. I attach the images for closure with the injunction that you should desist immediately from any further contact.

Regards, etc.

The following poems are transcribed from those electronic images and complete this collection. It seems that this meagre collection is all that can be retrieved from Ronnie Steenson's considerable body of work. This is a dark shame as he seems to have had some skill in rhyme and a thorough knowledge of the Ulster-Scots tongue. Perhaps poems of more merit and value are lost forever.

Tha Bovedy Meteorite

Time disnae mean ocht,
whan ye birl in yer ain orbit
roond fameeliar spaces,
Unner tha steady stars.
A was a purn, a scrae,
amang a throuither jingbang
o owder birlin roond Saturn.
In lang dwams A minded
tha ram stam ructions
whan tha furnace o creation
haughed us oot intae tha universe
wi a coorse spyooch.

A dunt, a dunch,
a quare begunk.
An time stairts.
A wheek ootby
tha solar system,
unner wakerife stars.
A jook Jupiter,
an tha space grummle
inaboot Mars,
then tear towards Bovedy.

THA BOVEDY METEORITE

At Bangor ma rifts thunner
abin tha birdsang;
folk houl their wheesht
an keek up, feared.
Weans playin fitba
in tha Belfast dailygaun
keek up tae ferlie
at ma beekin licht.
A'm greesauch lowin
abin quait Antrim clachans.
Ma tail whusks tha trees
an skites tha braird then
A'm happed in Bovedy glaur
amang dolmen an souterrain.

Nae Messiah was kythed,
nor did ony Caesar dee,
but thon nicht in '69
did ocht in oor nature cowp ajee?

Sonnets on MacCassey

Luke Livingston MacCassey (1843-1908) was an engineer and barrister from Carrickfergus, County Antrim. His work led to the construction of the Silent Valley reservoir in the Mourne Mountains, which solved Belfast's water supply problems. He was also made proposals and reports on a rail bridge or tunnel between Ulster and Scotland.

I. Yer Man MacCassey

Fair play tae ye MacCassey, lad o pairts!
Why should we no mind tha likes o ye?
A quare fella, cute as a gully, a heid as fou
As a burn in spate, or a reservoir.
Or buck eejit MacCassey, wired tae tha moon;
Daft caleery, birled aboot by whigmaleeries
An thraveless dwams for folk tae yeuch at:
For Beaufort's Dyke is aiblins owre far for ony brig.
Twa ideas; yin tae mak a valley wheest
And tha callar water bicker intae oor clarty city.
Tha ither tae big a brig tae bate McCool;
Tae cleek thegither twa weel kenned kintras.
But mair nor tha lave tha gumption tae spier
Watna ferlies micht be biggit, or thoucht o?

II. Tha Wean MacCassey

We couldnae keep tha wean fae water ava:
Aye culfin tha burns, or maggin in slabbery slaps.
Lacken days spent hokin in some gumlie sheugh or clarry moss
Hame at dailygaun clarted tae his oxsters in Antrim clabber;
Tha cratur'd clock for oors fornent tha birlin scutch mill wheel
In a dwam as tha japs plootered doon tae tha babbin burn;
Or doon at tha shore skitin stanes at tha far awa braes o
      Scotland
Til A jaloused that yin day he'd gar yin win richt across.
A mind thon time he biggit a brig owre tha Sullatober Water;
A lad fae tha clachan at ilka shouder. An him takin tent
O aathing: sneddin tha richt sticks fae birks an sallies
His gully scorin snicks in tha wood for tha ithers to saw,
Tha hail o it in his heid fae tha first, then spannin tha burn.
By gloamin tha wheen o sticks were cleeked thegether.

III. MacCassey in Belfast

A puckle orra cloots happed thegither
In a foonderin back-alley shift, tae shaw
Twa toom an gumlie een an a gapin gub
That haughs a continuum o boke
Skinkin owre MacCassey's shoon.
Doonby he stauns, fashed wi dool
By tha clarry Lagan, snootcloot owre his neb
Tae see tha clart and shite stroan through
Tha hairt o a toon whase air is thrang wi reek.
Maun ceevilisation thole sic sichts
Whilst an empire's siller plooters in?
Maun Belfast thole sic eldrich dreed
As lassies wi een like gumlie dubs
Whase boke airches like a watergaw.

IV. MacCassey's Whigmaleeries

Ach MacCassey? MacArsey!
Yer arse an parsley!
Swannin aroon
Aff tae London toon
Oh Dearie, sic queerie
Whigmaleeries
Brigs in tha air
Fae there tae naewhere
An pitter-patter
Aboot clarty water.
A gormless gansh
A glaikit glipe.
Ach MacCassey? MacArsey!
Gae cowp carlie.

V. MacCassey Surveys

MacCassey taks tent o maps; catchments an
Watersheds an pipelines. His lines thorture
Tha contours, jookin owre a wheen o peaks:
Slievenaglogh, Loughshannagh, Meelbeg, Meelmore.
Macassey stauns on tha braes o Wee Binnian
Tha Mournes birlin roond his heid;
A skifter skites owre tha peaks fornent:
Bernagh, Corragh, Commedagh, Donard, Binnian.
As tha clabber sooks at his shoon he sees it aa –
A muckle waa hunkered doon tha valley
An tha heather an whins an gowans soomin
Unner skeenklin siller. Aboot him
A mixtur-maxtur o birdsang japs fae tha trees:
Thonder a watergaw pends tha valley.

VI. MacCassey's Hereafter

A hae clocked on thonder shore an glowered
Intae tha gloamin thinkin o thon ghaistly brig
Dirlin through tha water, tha air an mysel.
A brig tae thorture Beaufort's Dyke!
Thon brig atween twa kintras is no bigged yet:
A thraveless dwam in Macassey's heid.
But damn tha fear o owre-reachin yersel:
In tha thinkin, speakin an scrievin o it, it's biggit.
An mind - it taks an ootby an forby chiel tae redd
Tha birdsang fae a valley. Tha dynamite guldered,
Tha burns were culfed, an a quare dyke bigged.
Belyve, tha callar water soomed a city's boke.
Prie tha tumbler, slock yer drouth
An aye hae mind o tha boul MacCassey.

54

Translations, fae Nagorno-Karabahk

I. Yarns an Tales

M'Ma aye toul oul yarns an tales
o eldrich places, ghaists an deils.

But A hae taen a scunner at her yarns:
for they lairned her weans tae be feared
o a heidful o bogles they rared themsels.

Belyve, quare bad yins bided aye amang us.
Tha dunthers o bombs dirled oor wundaes
an tha deid were cowped intae oor sheuchs.

Noo tha tapselteerie times are aa throuither:
wurds are sliddery. Folk sweer a cram's
tha gospel, an a gled's a blue-bonnet.

M'Ma aye toul oul tales an yarns
but it's maistly real folk dae ye hairm.

II. Tha Paice Again

A'm quare an fand o thunnerplumps;
for bricht skies wull follae.
Aye, bricht skies abin.

A'm quare an fand o cranreuch coul;
for tha wairm sun wull follae.
Aye, a beekin sun.

A'm quare an fand o dairk nichts;
for tha mornin licht wull follae.
Aye, tha screich o dawn.

A'm quare an fand o a ruction;
for A know tha paice wull follae.
Aye, tha paice again.

III. Tae be Yersel

Hae a look at yersel an quit
sloosterin up tae ganshes.
By heezin tha likes o thon
ye gie yersel a begunk.

Is there ocht left o tha oul speerit?
Are tha oul bleezes smoored?
Whaur's tha coorse fire o tha Reiver,
tha thran hairt o tha Covenanter?

Hae ye gien up yer heirskip?
Yer sindert tongue lolls like chollers;
tha caleeried warld has nae lugs
for tae hear ye gulder in yer ain voice:

"Ye think me thran an wee
a bawn-heided planter?
But A hae made sheuchs o oceans
an bigged heivens abin drumlins."

Tak me hail, or mend in Hell;
ye're no ocht gin ye're no yersel.

IV. Ding Doon tha Mairch Dykes

We aye big mairch dykes
for tae houl oor ain,
an say: "aathin on this side
belangs tae me".
Ach, ding doon tha dykes
an cowp tha waas o tha bawns
for tae keek at ither airts,
ootby, oot thonder.
Folks' dwams wull no thole
bein cleeked in kists;
na, they gie tha braes a dander
an lowp tha sheuchs
fae screich o day tae dailygaun.
As lang as folk hae een in their heids
they'll glower at thon
braid horizon.
An mind ye dinnae redd oòt
tha geelgowans an buckies;
dinnae sned tha leevin roots.
Nature wull no thole
bein cleeked in kists:
it maun hae mair nor
rig an fur.

IV. DING DOON THA MAIRCH DYKES

An aye mind that we're no
bits on a chakkers board,
on sindert squares o tha yin colour.
For dwams aye
jink an jook aff
ayont tha braidest horizons.
Aye, ding doon tha mairch dykes
an cowp tha waas o tha bawns,
for tae keek at ither airts,
ootby, oot thonder.

Printed in Great Britain
by Amazon